첫 번째 이야기

글 신시아 라일런트 | 그림 수시 스티븐슨

Contents

헨리

헨리는 남동생도

여동생도 없었다.

“저는 남동생이 있으면 좋겠어요.”

그가 자신의 부모님에게 말했다.

“미안하구나.” 부모님이 말했다.

헨리는 같은 동네에 사는

친구들이 없었다.

"저는 다른 동네에서

살고 싶어요."

그가 자신의 부모님에게 말했다.

"미안하구나." 부모님은 말했다.

헨리의 집에는

애완동물도 없었다.

"저는 개가 있으면 좋겠어요."

그가 자신의 부모님에게 말했다.

"미안하구나." 부모님은 그렇게 말할 *뻔* 했다.

하지만 먼저 부모님은

남동생도 여동생도 없는

그들의 집을 보았다.

그다음에 그들은

아이들이 한 명도 없는

자신들이 사는 동네를 보았다.

그러고 나서 부모님은

헨리의 얼굴을 보았다.

그러고 나서 부모님은 서로를 보았다.

"좋아." 부모님이 말했다.

"저는 엄마 아빠를 안고 싶어요!"

헨리가 그의 부모님에게 말했다.

그리고 그는 그렇게 했다.

머지

헨리는 개를 찾았다.

“그냥 평범한 개는 안 돼.” 헨리가 말했다.

“작은 개도 안 돼.” 그는 말했다.

“털이 곱슬거리는 개도 안 되지.” 그가 말했다.

“그리고 뾰족한 귀를 가져서도 안 돼.”

그러고 나서 그는 머지를 발견했다.

머지는 뾰족하지 않은,

축 늘어진 귀를 갖고 있었다.

그리고 머지는 곱슬거리지 않는,

빳빳한 털을 지녔다.

하지만 머지는 작았다.

"그가 강아지라서 그래."

헨리가 말했다.

"녀석은 자랄 거야."

그리고 녀석은 정말로 그렇게 되었다!

녀석은 그의 강아지 우리가 맞지 않을 정도로 자랐다.

녀석은 그의 개집이 더는 맞지 않을 만큼 자랐다.

녀석은 연이어 일곱 개의 목걸이가

맞지 않을 정도로 자랐다.

그리고 녀석이 마침내

자라는 것을 멈췄을 때. . .

녀석은 몸무게가 81킬로그램이나 나갔고,

녀석은 키가 91센티미터나 되었으며,

그리고 녀석은 침을 흘렸다.

“나는 네가 작지 않아서 기뻐.”

헨리가 말했다.

그리고 머지는 헨리를 핥다가,

그의 몸 위에 앉아 버렸다.

헨리

헨리는 학교에 혼자

걸어가곤 했다.

그는 걸어가며

토네이도,

유령,

무는 개,

그리고 불량배들에 대해서

걱정하곤 했다.

최대한 빨리

그는 걸어갔다.

그는 앞을 똑바로 바라보았다.

그는 절대로 뒤를 돌아보지 않았다.

하지만 이제 그는 머지와 함께

학교로 걸어갔다.

그리고 이제 그는 걸으면서,

바닐라 아이스크림,

비,

돌,

그리고 좋은 꿈에 대해서

떠올렸다.

너무 빠르지 않게

그는 학교로 걸어갔다.

그는 학교에 걸어가면서

때로는 뒷걸음질로 가기도 했다.

그는 학교에 걸어가면서

머지의 큰 머리를 쓰다듬으며,

행복해했다.

머지

머지는 헨리의 방을 좋아했다.

그는 더러운 양말을 좋아했다.

그는 곰 인형을 좋아했다.

그는 어항을 좋아했다.

하지만 주로 그는

헨리의 침대를 좋아했다.

왜냐하면 헨리의 침대에는

헨리가 있기 때문이었다.

머지는 헨리와 함께

침대로 올라가는 것을 좋아했다.

그다음에 녀석은 헨리의 냄새를

맡는 것을 좋아했다.

녀석은 헨리의 레몬색 머리카락에 대고 킁킁거렸다.

녀석은 헨리의 우유 냄새가 나는 입가에 대고 킁킁거렸다.

녀석은 헨리의 비누 냄새가 나는 귀에 대고 킁킁거렸다.

녀석은 헨리의 초콜릿 냄새가 나는 손가락에 대고
킁킁거렸다.

그러고 나서 녀석은 헨리의 머리 옆에

자신의 고개를 얹었다.

녀석은 어항을 쳐다보았다.

녀석은 곰 인형을 쳐다보았다.

녀석은 헨리를 쳐다보았다.

녀석은 그를 핥았다.

그리고 녀석은 잠이 들었다.

어느 날 머지는 헨리 없이

산책을 나갔다.

태양이 빛나고 있었고,

새들이 날아다니고 있었고,

풀밭에서는 달콤한 냄새가 났다.

머지는 헨리를 기다릴 수가 없었다.

그래서 그는 떠났다.

덤불의 냄새를 맡으며,

녀석은 어떤 길을 따라 가다가,

먼지를 일으키며,

또 다른 길을 따라 갔다.

녀석은 들판을 지나,

개울을 가로질러,

몇 그루의 소나무 사이로 들어갔다.

그리고 녀석이

반대편으로 나왔을 때,

녀석은 길을 잃어버렸다.

녀석은 헨리의 냄새를 맡을 수가 없었다.

녀석은 집 앞 현관에서 나는

냄새를 맡을 수가 없었다.

녀석은 자신이 사는 동네에서 나는

냄새를 맡을 수가 없었다.

머지는 주변을 둘러보았지만

자신이 아는

어떤 것이나 어느 누구도

보지 못했다.

헨리 없이 혼자서,

녀석은 약간 낑낑거렸다.

그러더니 헨리 없이 혼자서,

녀석은 엎드렸다.

녀석은 헨리의 침대가 그리웠다.

헨리는 머지가 항상

자신과 함께할 것이라고 생각했다.

그는 머지가 모든 것을

안전하게 해 준다고 생각했다.

그는 머지가 결코

떠나지 않을 것이라고 생각했다.

그리고 머지가 정말 떠났을 때,

헨리가 부르고 또 불렀지만

머지가 오지 않았을 때,

헨리의 마음은 아팠고

그는 한 시간 동안 울었다.

하지만 그가 울음을 그쳤을 때,

헨리는 말했다. "머지는 날 사랑해.

녀석이 떠난 게 아닐 거야.

녀석은 길을 잃은 게 분명해."

그래서 헨리는 걷고 또 걸었고,

부르고 또 불렀고,

그리고 자신의 개 머지를

찾고 또 찾았다.

그는 어떤 길을 따라 걸어가다가,

또 다른 길을 따라 걸어갔다.

헨리가 부르고 또 부르면서,

들판을 지나 달려갈 때

태양이 빛났다.

부르고 또 부르면서,

그가 개울 옆에 섰을 때

새들이 날아서 지나갔다.

그리고 자신의 잃어버린 개를 찾아

그가 텅 빈 소나무 숲을

바라보자

다시 눈물이 흘렀다.

"*머지!*" 마지막으로 한 번 더, 그가 불렀다.

그리고 머지는

그의 쓸쓸한 잠에서

깨어났고,

그리고

달려왔다.

헨리 그리고 머지

매일 헨리는 일어날 때마다,

머지의 큰 머리를 보았다.

그리고 매일

머지는 일어날 때마다,

헨리의 작은 얼굴을 보았다.

그들은 같은 시간에

아침을 먹었다.

그들은 같은 시간에

저녁을 먹었다.

그리고 헨리가 학교에 가면,

머지는 그저 누워서

기다렸다.

머지는 다시는 헨리 없이

산책을 가지 않았다.

그리고 헨리는 머지가 떠날 것이라고

절대 걱정하지 않았다.

왜냐하면 때때로, 그들의 꿈속에서,

그들은 길고 조용한 길,

크고 넓은 들판,

깊은 개울,

그리고 소나무 숲을 보았기 때문이었다.

그 꿈속에서,

머지는 혼자였고

또 헨리도 혼자였다.

그래서 머지가 잠에서 깨어나

헨리가 자신과 함께 있다는 것을 알았을 때,

그는 그 꿈을 기억해 냈고

더 가까이 붙었다.

그리고 헨리가 잠에서 깨어나

머지가 그와 함께 있다는 것을 알았을 때,

그는 그 꿈과

찾아 헤매던 일

그리고 이름을 부르던 일

그리고 두려움을 기억했고

그리고 그는

다시는

머지를 잃어버리지 않을 것임을 알았다.

Activities

영어 원서를 총 여섯 개의 파트로 나누어,
각 파트별로 다양한 액티비티를 담았습니다.

각 파트의 영어 원서 페이지는 롱테일북스에서 출간된
'롱테일 에디션'을 기준으로 합니다!
수입 원서와는 페이지 구성에 차이가 있으니 참고하세요.

VOCABULARY

형제

brother

자매

sister

원하다

want

부모님

parents

미안한

sorry

친구

friend

거리

street

살다

live

다른

different

애완동물

pet

집, 가정

home

개

dog

~을 보다

look at

집, 주택

house

아이들

children

얼굴

face

그래; 괜찮은

okay

껴안다; 포옹

hug

VOCABULARY QUIZ

1 그림에 맞는 단어를 퍼즐에서 찾아 표시하고 단어를 써 보세요.

c	x	d	d	f	d	e	e	n	l	s
h	a	o	n	n	i	z	r	b	i	d
i	q	g	s	p	f	s	g	h	v	s
l	k	b	o	i	f	b	t	j	e	a
d	a	d	t	j	e	g	l	q	g	m
r	n	s	p	b	r	o	t	h	e	r
e	k	i	m	q	e	k	p	s	n	k
n	p	s	n	u	n	g	e	l	w	f
z	a	t	b	x	t	m	q	e	l	m
n	i	e	t	t	e	i	o	k	a	y
p	a	r	e	n	t	s	w	p	e	q

2 그림에 맞는 단어를 연결하고 빈칸에 알맞은 알파벳을 넣어 보세요.

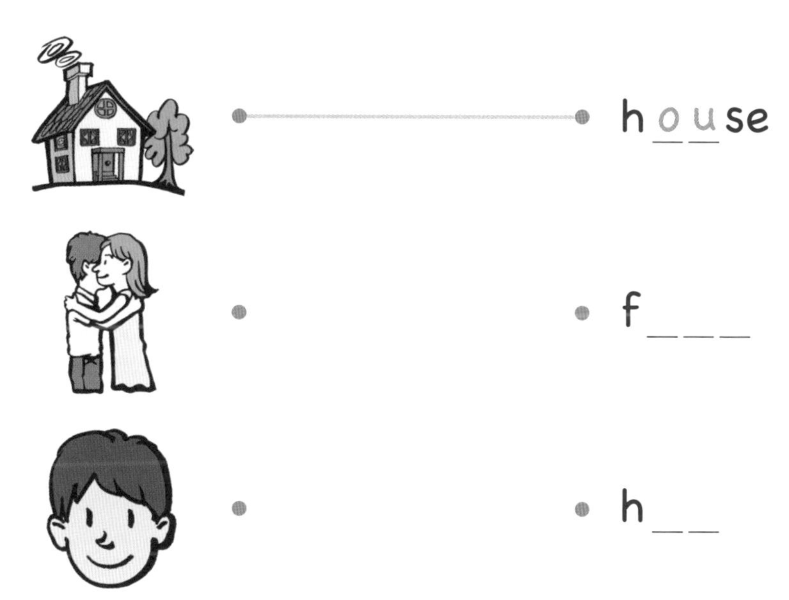

3 글자를 바르게 배열하여 단어를 완성해 보세요.

t p e — pet

t e t r e s — ______

m e h o — ______

w t a n — ______

o o l k — ______ at

r y r o s — ______

h r t o r e b — ______

i e f r d n — ______

1 이야기의 순서에 맞게 그림을 배열해 보세요.

Henry asked his parents for a brother.

Henry had neither friends nor pets.

Henry hugged his parents when they allowed him to have a dog.

Henry's parents could not say no when Henry asked for a dog.

→ 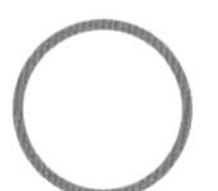 →  → 

2 다음 질문에 알맞은 답을 선택해 보세요.

1) How many siblings did Henry have?

a. Henry had only a younger sister.

b. Henry had a brother and a sister.

c. Henry had no siblings.

2) What did Henry want?

a. He wanted to live on a different street.

b. He wanted his parents to buy him a toy.

c. He did not want anything.

3) How did Henry's parents react to Henry's wanting a dog?

a. They were glad that Henry had no friends.

b. They felt sorry that Henry had no one.

c. They did not understand why Henry wanted a dog.

3 책의 내용과 일치하면 T, 그렇지 않으면 F를 적어 보세요.

1) Henry wanted a pet or friends. ____

2) Henry's parents decided to move to a new street. ____

3) Henry did not want to talk with his parents anymore. ____

유용한 영어 표현

I want to have a dog.
저는 개가 있으면 좋겠어요.

같이 놀 동생도, 친구도 없어서 외로웠던 헨리. 헨리는 결국 부모님에게 개를 기르고 싶다고 말했죠. 이렇게 헨리처럼 하고 싶은 일을 이야기할 때는 want to 뒤에 동작을 나타내는 표현을 써서 **"~하고 싶다"**라고 말할 수 있어요. 이때 동작 표현은 항상 원래 모습으로 써야 해요.

want to + [동작]: ~하고 싶다

I want to dance.
나는 춤추고 싶다.

I want to eat pizza.
나는 피자를 먹고 싶다.

We want to invite Tony.
우리는 토니를 초대하고 싶다.

They wanted to help children in need.
그들은 도움이 필요한 아이들을 돕고 싶었다.

우리말과 뜻이 통하도록 네모 안에 들어 있는 말을 바르게 배열해 보세요.

1. 나는 날고 싶다.

fly 날다	want to ~하고 싶다	I 나

I want to ______________________________.

2. 나는 수박을 사고 싶다.

want to ~하고 싶다	I 나	a watermelon 수박	buy 사다

______________________________.

3. 우리는 이 편지를 보내고 싶다.

this letter 이 편지	send 보내다	want to ~하고 싶다	we 우리

______________________________.

4. 그는 물을 마시고 싶었다.

water 물	drink 마시다	he 그	wanted to ~하고 싶었다

______________________________.

5. 그녀는 그들의 친구가 되고 싶었다.

wanted to ~하고 싶었다	be ~이 되다	she 그녀	their friend 그들의 친구

______________________________.

VOCABULARY

~을 찾다

search for

키가 작은, 짧은

short

곱슬곱슬한

curly

뾰족한

pointed

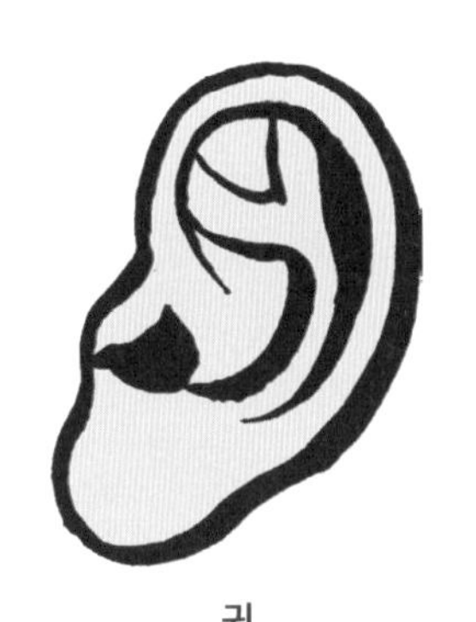

귀

ear

늘어진

floppy

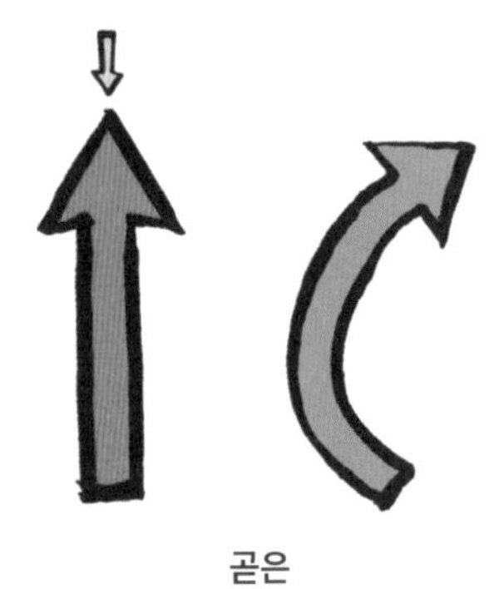

곧은

straight

털

fur

~ 때문에

because

강아지

puppy

자라다 (과거형 grew)

grow

~의 밖으로

out of

우리

cage

목걸이

collar

멈추다 (과거형 stopped)

stop

키가 ~인

tall

침을 흘리다

drool

핥다; 핥기

lick

VOCABULARY QUIZ

1 알파벳을 연결해서 단어를 만들고, 알맞은 그림과 연결해 보세요.

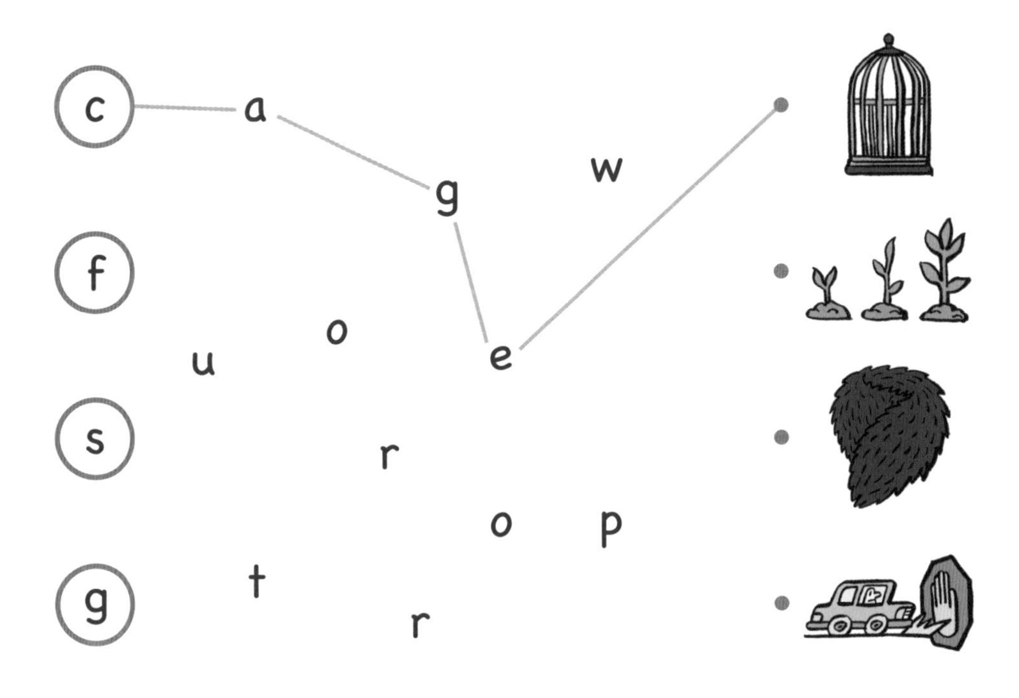

2 빈칸에 알맞은 알파벳을 넣어 단어를 완성해 보세요.

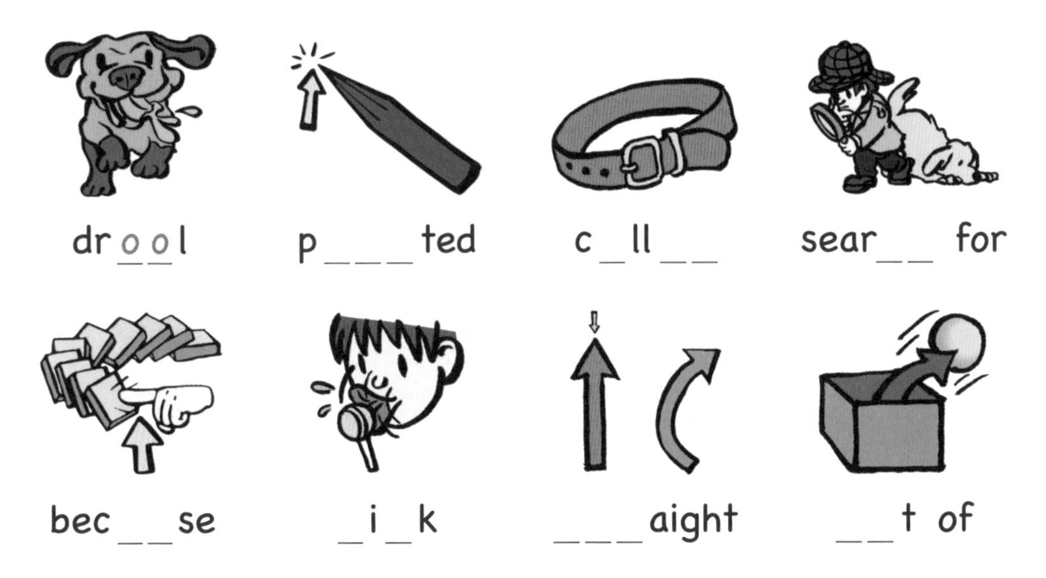

3 그림을 보고 알맞은 단어를 넣어 퍼즐을 완성해 보세요.

→ Across

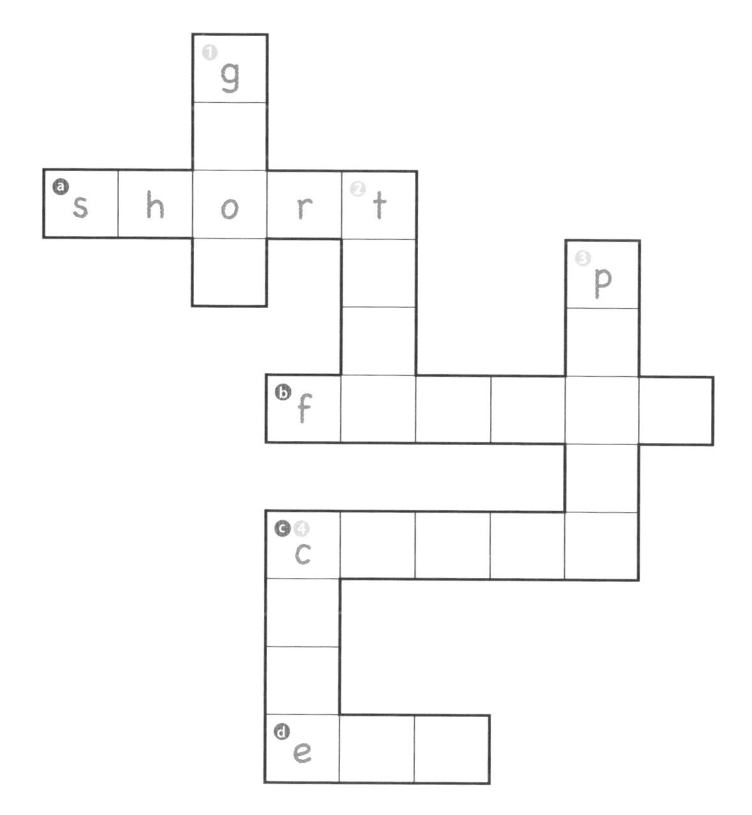

↓ Down

1 이야기의 순서에 맞게 그림을 배열해 보세요.

a

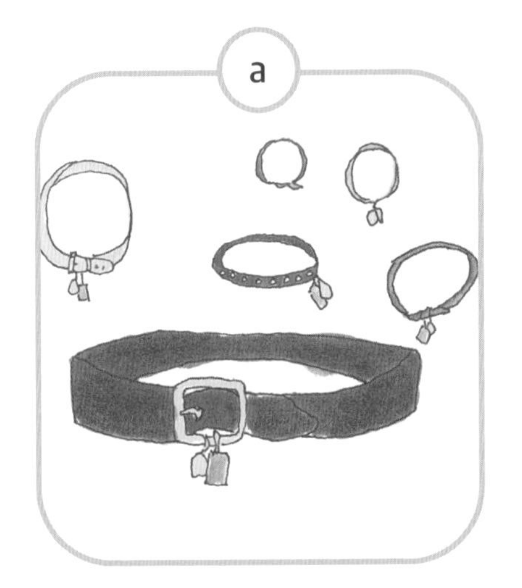

Mudge grew out of seven collars.

b

Mudge was small when he was a puppy.

c

Mudge grew big enough to sit on Henry.

d

Henry did not want a dog with curly fur or pointed ears.

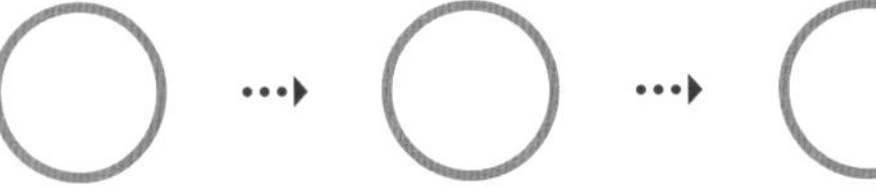

2 다음 질문에 알맞은 답을 선택해 보세요.

1) What kind of dog did Henry want?

a. A dog with a long body

b. A dog with curly fur

c. A dog with floppy ears

2) What did Mudge look like at first?

a. Mudge was short.

b. Mudge had pointed ears.

c. Mudge was a big dog.

3) How many collars did Mudge grow out of?

a. Twelve collars

b. Seven collars

c. Three collars

3 책의 내용과 일치하면 T, 그렇지 않으면 F를 적어 보세요.

1) Henry did not want a big dog. ____

2) Mudge was still small when he stopped growing. ____

3) Mudge grew up to weigh more than one hundred pounds. ____

PATTERN DRILL

유용한 영어 표현

Mudge finally stopped growing.
머지는 마침내 자라는 것을 멈추었다.

작은 강아지였던 머지는 쑥쑥 자랐어요. 머지가 성장을 멈추었을 때는 몸무게가 81 킬로그램, 키는 91센티미터나 되었지요. 이렇게 **"~하는 것을 멈추다"**라고 말할 때는 **stop**을 먼저 쓰고, 동작을 나타내는 표현에 **ing**를 붙여서 함께 써요.

stop + [동작]ing : ~하는 것을 멈추다

The baby **stopped crying.**
아기는 우는 것을 멈추었다.
* 지나간 일에 대해 말할 때 stop은 stopped로 변해요.

We **stopped eating** candy.
우리는 사탕 먹는 것을 멈추었다.

I **stopped watching** TV.
나는 TV 보는 것을 멈추었다.

They **stopped looking** at each other.
그들은 서로를 바라보는 것을 멈추었다.

우리말과 뜻이 통하도록 네모 안에 들어 있는 말을 바르게 배열해 보세요.

1. 나는 그림 그리는 것을 멈추었다.

painting 그림 그리는 것	stopped 멈추었다	I 나

I stopped ______________________________ .

2. 아이들이 노래하는 것을 멈추었다.

the children 아이들	singing 노래하는 것	stopped 멈추었다

______________________________ .

3. 학생들이 수업 시간에 킥킥거리는 것을 멈추었다.

giggling in class 수업 시간에 킥킥거리는 것	the students 학생들	stopped 멈추었다

______________________________ .

4. 내 여동생은 그녀의 손톱을 물어뜯는 것을 멈추었다.

biting 물어뜯는 것	stopped 멈추었다	her nails 그녀의 손톱	my sister 내 여동생

______________________________ .

꼭 기억하세요

알파벳 e로 끝나는 동작 표현에 ing를 붙일 때는 e가 사라져요.

dance + ing → dancing
make + ing → making
dive + ing → diving

VOCABULARY

걷다

walk

학교

school

혼자

alone

토네이도

tornado

유령

ghost

물다, 물어뜯다; 한 입

bite

바위; 흔들리다

rock

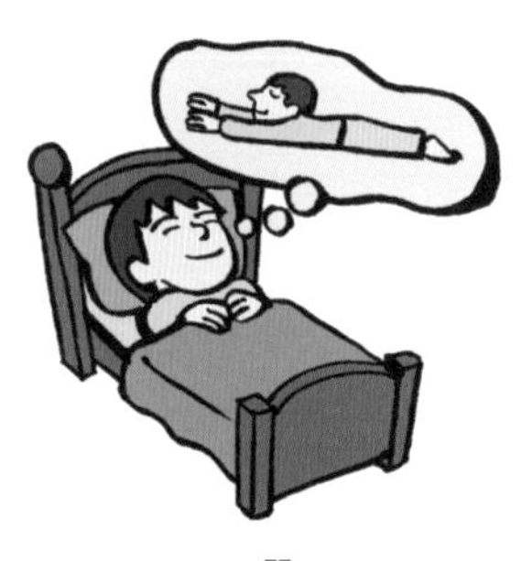

꿈

dream

쓰다듬다

pat

큰

big

머리

head

속을 채운

stuffed

곰 (stuffed bear 곰 인형)

bear

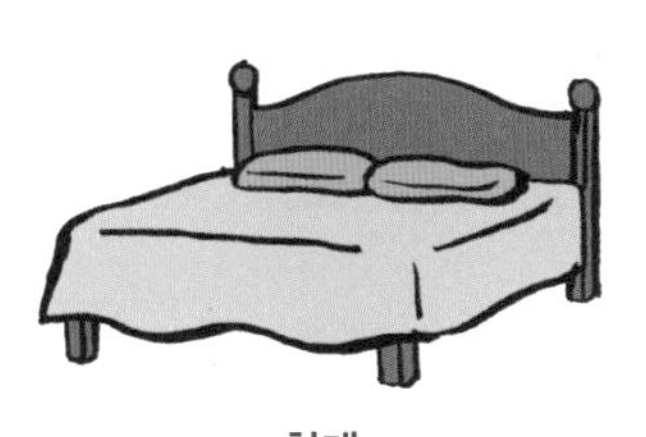

침대

bed

올라가다

climb

머리카락, 털

hair

입

mouth

손가락

finger

VOCABULARY QUIZ

1 그림에 맞는 단어를 퍼즐에서 찾아 표시하고 단어를 써 보세요.

c	x	d	r	e	a	m	e	n	t	s
c	a	x	n	n	d	z	r	d	c	s
l	q	g	s	p	i	s	g	x	n	c
i	k	d	g	m	o	u	t	h	l	h
m	a	s	t	j	f	g	l	m	i	o
b	g	t	o	r	n	a	d	o	i	o
e	i	r	u	b	r	t	t	r	e	l
n	k	d	m	o	r	h	e	f	h	f
z	p	t	n	u	e	a	q	e	e	m
p	a	e	b	x	n	i	n	m	a	n
n	f	i	n	g	e	r	s	p	d	q

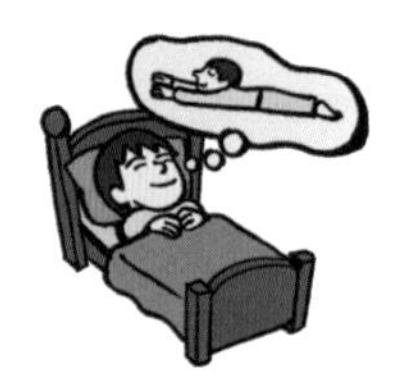

2 그림에 맞는 단어를 연결하고 빈칸에 알맞은 알파벳을 넣어 보세요.

3 글자를 바르게 배열하여 단어를 완성해 보세요.

a w k l

______

n a e l o

______

c o k r

______

g i b

______

u t o m h

______

e t b i

______

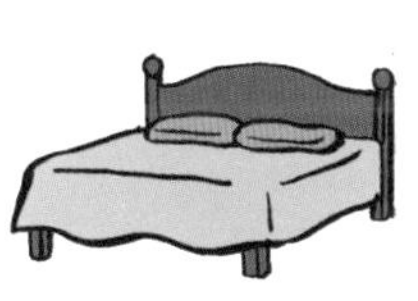

b d e

______

f u d s e t f

______

WRAP-UP QUIZ

1 이야기의 순서에 맞게 그림을 배열해 보세요.

a

Henry used to worry about scary things when he did not have Mudge.

b

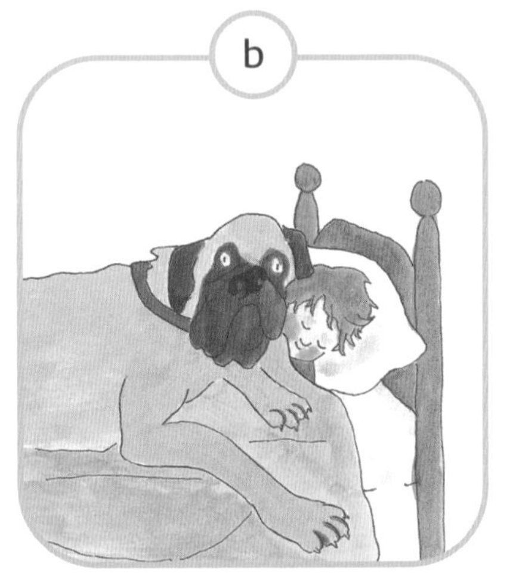

Mudge licked Henry and he fell asleep.

c

With Mudge, Henry happily walked to school.

d

Mudge loved to climb in Henry's bed and smell Henry.

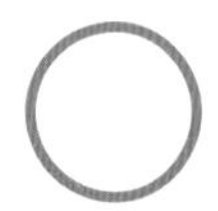    

2 다음 질문에 알맞은 답을 선택해 보세요.

1) What did Henry do when he walked to school alone?

a. He sang a song.

b. He worried about scary things.

c. He looked back many times.

2) What did Henry NOT do when he walked to school with Mudge?

a. He thought about bullies.

b. He patted Mudge's head.

c. He sometimes walked to school backward.

3) What did Mudge like best in Henry's room?

a. The fish tank

b. The dirty socks

c. Henry's bed

3 책의 내용과 일치하면 T, 그렇지 않으면 F를 적어 보세요.

1) Henry walked to school as fast as he could with Mudge. ____

2) Henry thought about good things with Mudge. ____

3) Mudge loved Henry's dirty socks and the stuffed bear. ____

유용한 영어 표현

Henry **used to** walk to school alone.
헨리는 학교에 혼자 걸어가곤 했다.

학교에 혼자서 걸어갔던 헨리. 이제는 머지와 함께 즐겁게 학교에 가게 되었네요. 이렇게 지금은 하지 않지만 예전에는 했던 행동에 대해 설명할 때는 **used to** 다음에 동작을 나타내는 표현을 써서 **"~하곤 했다"**라고 말할 수 있어요. 이때 동작 표현은 항상 원래 모습으로 써야 해요.

used to + [동작]: ~하곤 했다

I **used to** live in Seoul.
나는 서울에 살았다.

He **used to** hate rainy days.
그는 비 오는 날을 싫어했다.

She **used to** have a toy car.
그녀는 장난감 자동차가 있었다.

I **used to** visit my grandmother every weekend.
나는 주말마다 할머니를 방문하곤 했다.

우리말과 뜻이 통하도록 네모 안에 들어 있는 말을 바르게 배열해 보세요.

1. 그녀는 긴 머리카락을 가졌었다.

long hair	used to	have	she
긴 머리카락	~하곤 했다	가지다	그녀

She used to ______________________________.

2. 그들은 늦게 자곤 했다.

sleep	they	late	used to
자다	그들	늦게	~하곤 했다

______________________________.

3. 그는 호수에서 낚시를 하곤 했다.

used to	he	at the lake	fish
~하곤 했다	그	호수에서	낚시하다

______________________________.

4. 나는 브로콜리를 싫어했다.

I	broccoli	used to	hate
나	브로콜리	~하곤 했다	싫어하다

______________________________.

꼭 기억하세요

used to는 **"예전에는 ~했는데 지금은 아니다"**(But not anymore)라는 뜻이에요.

She **used to** be a singer.
= She **was** a singer. But not anymore.
그녀는 가수였다. 그러나 지금은 아니다.

They **used to** work here.
= They **worked** here. But not anymore.
그들은 여기에서 일했다. 그러나 지금은 아니다.

VOCABULARY

산책하다

take a walk

해, 태양

sun

빛나다

shine

새

bird

날다

fly

풀, 잔디

grass

달콤한

sweet

기다리다

wait

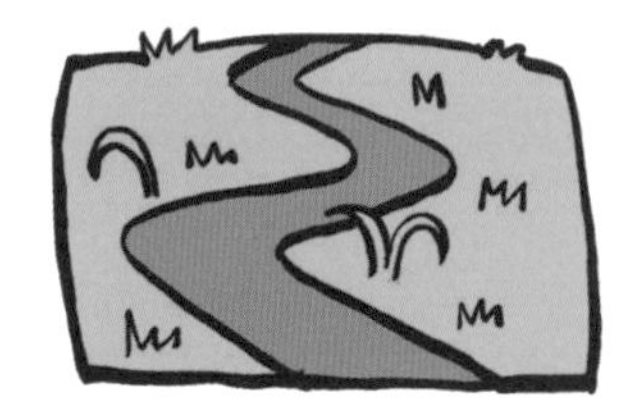

도로, 길

road

킁킁거리다

sniff

덤불

bush

먼지를 일으키다

kick up dust

들판

field

건너서

across

개울

stream

소나무

pine tree

길을 잃은

lost

현관

porch

VOCABULARY QUIZ

1 알파벳을 연결해서 단어를 만들고, 알맞은 그림과 연결해 보세요.

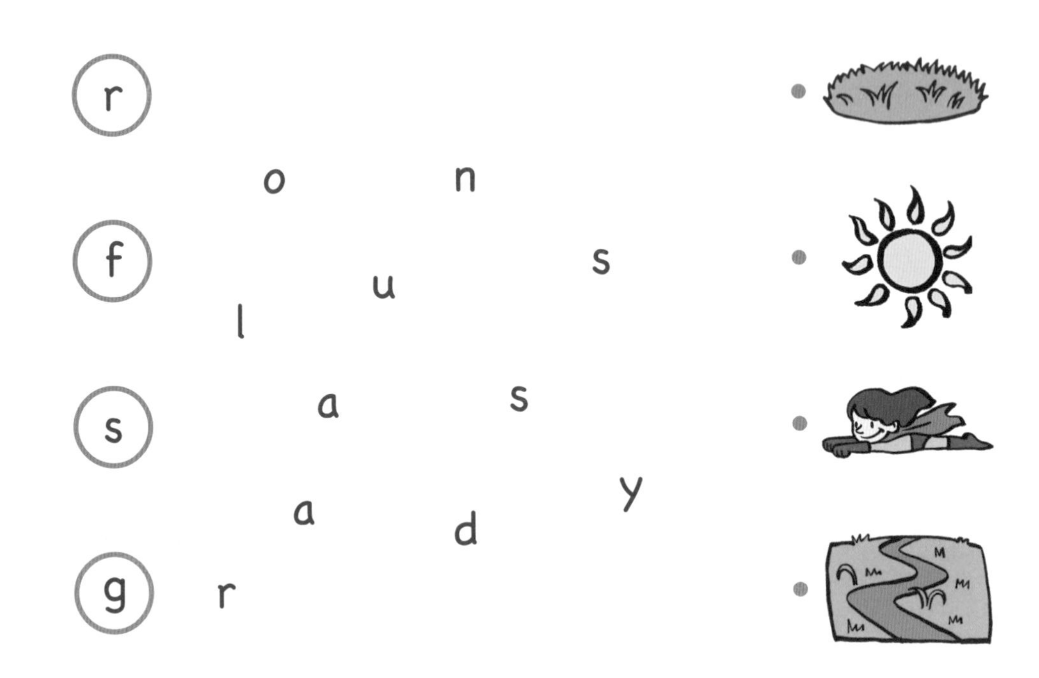

2 빈칸에 알맞은 알파벳을 넣어 단어를 완성해 보세요.

3 그림을 보고 알맞은 단어를 넣어 퍼즐을 완성해 보세요.

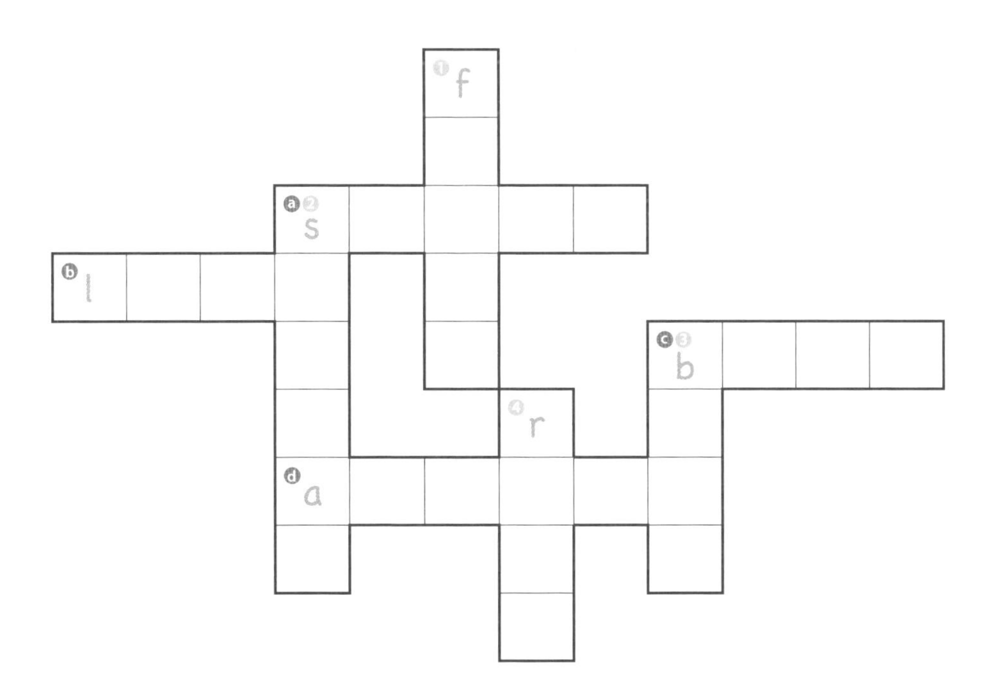

WRAP-UP QUIZ

1 이야기의 순서에 맞게 그림을 배열해 보세요.

Mudge whined and lay down.

Mudge could not smell Henry nor anything familiar.

Mudge got lost when he wandered from place to place.

Mudge took a walk without Henry.

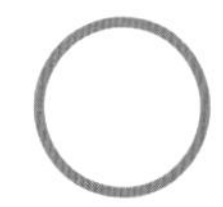 ···› 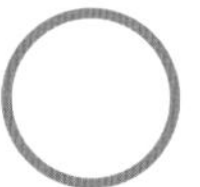 ···›  ···› 

2 다음 질문에 알맞은 답을 선택해 보세요.

1) Why did Mudge leave?

a. Mudge was hungry.

b. Mudge could not wait for Henry.

c. Henry did not want to take him for a walk.

2) What happened when Mudge came out of the pine trees?

a. He could not smell his front porch.

b. He could not sleep at all.

c. He could not hear anything.

3) What did NOT happen when Mudge saw nothing familiar?

a. He whined a little.

b. He went back into the pine trees.

c. He lay down alone.

3 책의 내용과 일치하면 T, 그렇지 않으면 F를 적어 보세요.

1) Mudge took a walk with Henry. ____

2) Mudge went across a stream and into some pine trees. ____

3) Mudge missed Henry's bed a lot. ____

PATTERN DRILL

유용한 영어 표현

Mudge **could not** smell Henry.
머지는 헨리의 냄새를 맡을 수가 없었다.

헨리 없이 산책을 나갔다가 길을 잃어버린 머지. 낯선 곳에서 머지는 헨리의 냄새를 맡을 수 없었어요. 이렇게 **"~할 수 없다"**라고 말할 때는 **cannot** 다음에 동작을 나타내는 표현을 원래 모습 그대로 써요. 그리고 지나간 일을 말할 때 **cannot**은 **could not**으로 변해요.

cannot + [동작]: ~할 수 없다
could not + [동작]: ~할 수 없었다

I **cannot** use the computer.
나는 컴퓨터를 사용할 수 없다.

She **can't** do anything.
그녀는 아무것도 할 수 없다.
* cannot은 can't로 줄여서 쓸 수 있어요.

We **could not** sleep last night.
우리는 어젯밤에 잠을 잘 수 없었다.

They **couldn't** answer the question.
그들은 그 질문에 대답할 수 없었다.
* could not은 couldn't로 줄여서 쓸 수 있어요.

우리말과 뜻이 통하도록 네모 안에 들어 있는 말을 바르게 배열해 보세요.

1. 나는 빨리 달릴 수 없다.

run	cannot	fast	I
달리다	~할 수 없다	빨리	나

I cannot ______________________________.

2. 우리는 너를 도와줄 수 없다.

help	you	we	can't
돕다	너	우리	~할 수 없다

______________________________.

3. 그들은 그녀를 기다릴 수 없었다.

her	they	wait for	could not
그녀	그들	~를 기다리다	~할 수 없었다

______________________________.

4. 나는 내 곰 인형 없이 잘 수 없었다.

couldn't	I	sleep	without	my stuffed bear
~할 수 없었다	나	자다	~ 없이	내 곰 인형

______________________________.

꼭 기억하세요

"~할 수 있다"라고 말할 때는 어떻게 할까요? 그때는 그냥 **can** 또는 **could**만 쓰면 돼요.

I **can** swim. 나는 수영을 할 수 있다.
I **could** meet him. 나는 그를 만날 수 있었다.

VOCABULARY

~와 함께

with

모든 것

everything

안전한

safe

떠나가다

go away

부르다, 외치다

call

마음

heart

감정이 상하다, 아프다

hurt

울다, 외치다

cry

1시간, 시간

hour

끝내다

finish

떠나다

leave

길을 잃은

lost

걷다

walk

빛나다 (과거형 shone)

shine

눈물

tear

비어 있는

empty

잠; 자다

sleep

달리다

run

VOCABULARY QUIZ

1 그림에 맞는 단어를 퍼즐에서 찾아 표시하고 단어를 써 보세요.

c	r	y	d	f	z	e	e	n	t	s
a	a	e	n	n	s	z	r	b	l	d
q	t	e	a	r	b	s	g	h	o	q
k	k	m	o	i	g	b	t	j	s	a
m	q	p	t	j	k	g	l	q	t	m
n	n	t	p	c	a	l	l	s	k	k
k	k	y	m	t	e	i	s	p	i	r
p	p	m	s	h	i	n	e	l	g	r
a	a	n	b	x	n	e	q	e	m	u
n	i	s	t	t	e	z	n	m	k	n
n	i	h	o	u	r	i	s	p	e	q

2 그림에 맞는 단어를 연결하고 빈칸에 알맞은 알파벳을 넣어 보세요.

 • • __ away

 • • e__r_thi__

 • • h__t

3 글자를 바르게 배열하여 단어를 완성해 보세요.

t w h i
______

a f s e
______

e p s e l
______

h f s n i i
______

e l a e v
______

k a w l
______

e t m y p
______

t e r h a
______

1 이야기의 순서에 맞게 그림을 배열해 보세요.

a

Henry walked around all the places, looking for Mudge.

b

Henry had never thought that Mudge would leave him.

c

Mudge woke up and ran to Henry.

d

Henry called Mudge's name into the pine trees one last time.

 ···›  ···› 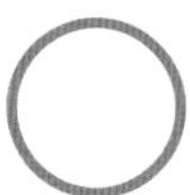 ···› 

2 다음 질문에 알맞은 답을 선택해 보세요.

1) What did Henry think about Mudge?

a. Mudge would never go away.

b. Mudge would be gone when he was big.

c. Mudge would be stupid enough to get lost.

2) How did Henry feel when Mudge was gone?

a. Henry was happy to get rid of Mudge.

b. Henry was so sad that he cried for an hour.

c. Henry was angry that he had to look for Mudge.

3) Why did Mudge wake up and start running?

a. He heard Henry's voice.

b. He was very hungry.

c. He was tired of sleeping.

3 책의 내용과 일치하면 T, 그렇지 않으면 F를 적어 보세요.

1) Henry thought Mudge got lost. ____

2) Mudge was sleeping beside a stream. ____

3) Henry gave up looking for Mudge. ____

유용한 영어 표현

Henry cried **for** an hour.
헨리는 한 시간 동안 울었다.

머지가 집에 돌아오지 않자, 속이 상한 헨리는 한 시간 동안이나 울었어요. 이렇게 어떤 시간 동안 무엇을 했는지 말하고 싶을 때는 **for** 다음에 시간을 나타내는 표현을 써요. 이렇게 하면 **"~ 동안"**이라는 뜻이 돼요.

for + [시간]: ~ 동안

They ran **for** 2 hours.
그들은 두 시간 동안 달렸다.

I watched TV **for** an hour.
나는 한 시간 동안 TV를 보았다.

The room was empty **for** 5 days.
그 방은 5일 동안 비어 있었다.

You can stay here **for** 3 hours.
너는 여기에 세 시간 동안 머물 수 있다.

우리말과 뜻이 통하도록 네모 안에 들어 있는 말을 바르게 배열해 보세요.

1. 나는 한 시간 동안 피아노를 연주한다.

play 연주하다	the piano 피아노	an hour 한 시간	I 나	for ~ 동안

I play ______________________________ .

2. 우리는 세 시간 동안 통화를 했다.

3 hours 세 시간	for ~ 동안	we 우리	talked on the phone 통화를 했다

______________________________ .

3. 그들은 두 달 동안 하와이에 머물렀다.

they 그들	2 months 두 달	stayed 머물렀다	for ~ 동안	in Hawaii 하와이에

______________________________ .

4. 그 가게는 일주일 동안 문을 닫았다.

a week 일주일	the store 그 가게	for ~ 동안	was closed 문을 닫았다

______________________________ .

꼭 기억하세요

for와 함께 사용할 수 있는 시간 표현에는 무엇이 있을까요?

second(초) / minute(분) / hour(시간) / day(하루) / week(주) / month(달) / year(년) 등 여러 가지 시간 표현을 사용할 수 있어요.

VOCABULARY

깨다

wake up

작은

small

얼굴

face

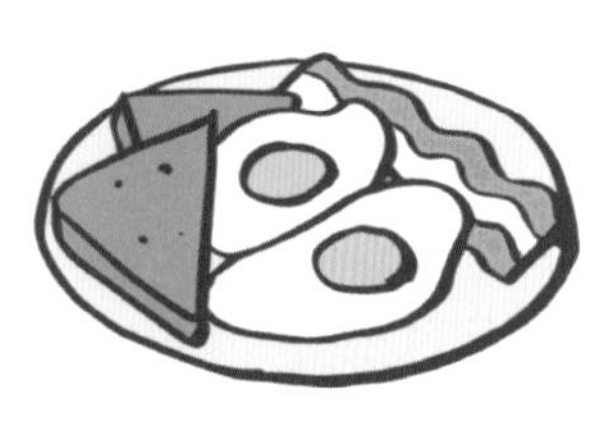

아침 식사

breakfast

저녁 식사

supper

학교

school

기다리다

wait

걱정하다 (과거형 worried)

worry

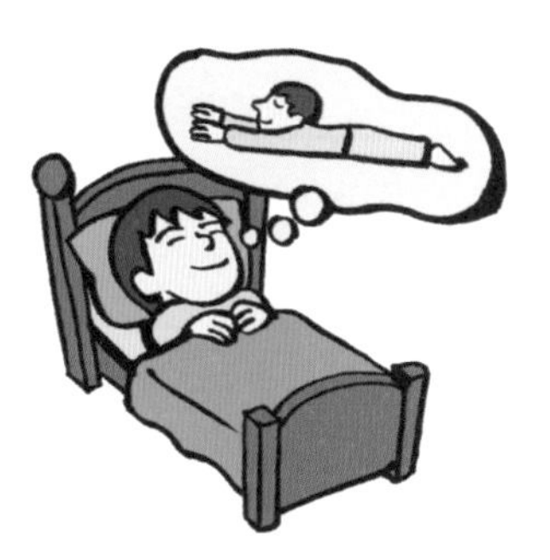

꿈

dream

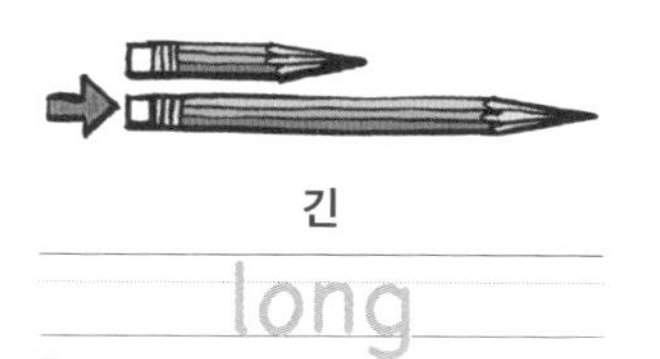

긴

long

조용한

silent

넓은

wide

깊은

deep

소나무

pine tree

머무르다, 가만히 있다

stay

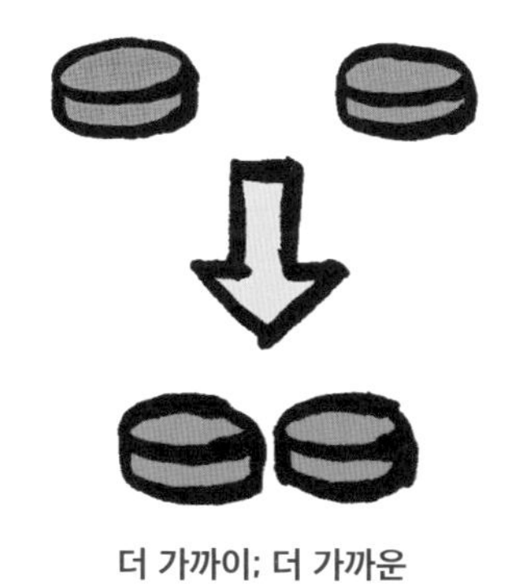

더 가까이; 더 가까운

closer

두려움

fear

잃다

lose

VOCABULARY QUIZ

1 알파벳을 연결해서 단어를 만들고, 알맞은 그림과 연결해 보세요.

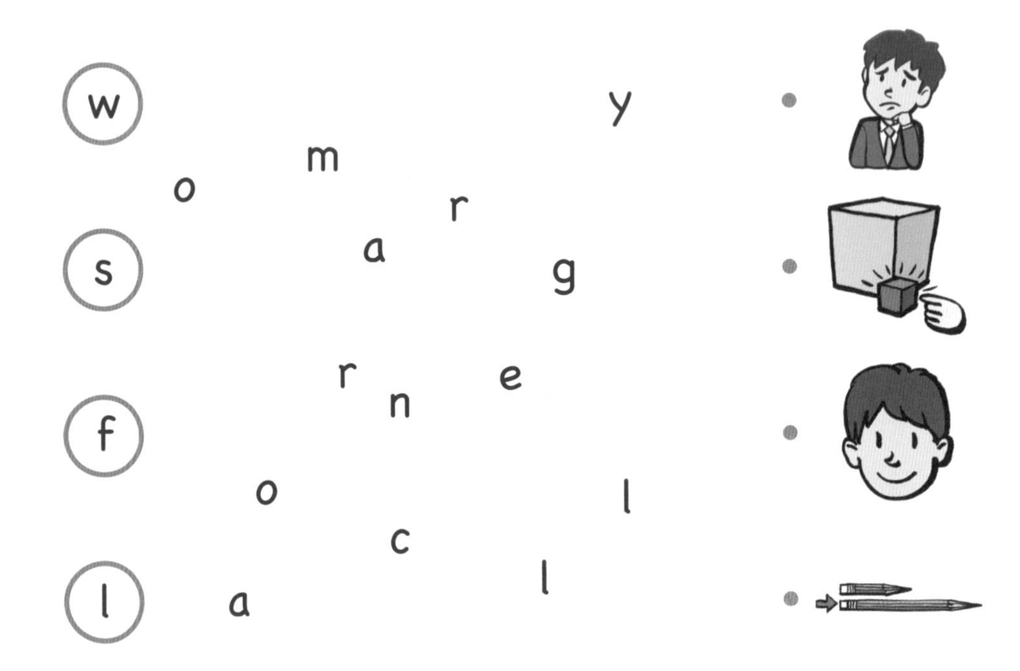

2 빈칸에 알맞은 알파벳을 넣어 단어를 완성해 보세요.

3 그림을 보고 알맞은 단어를 넣어 퍼즐을 완성해 보세요.

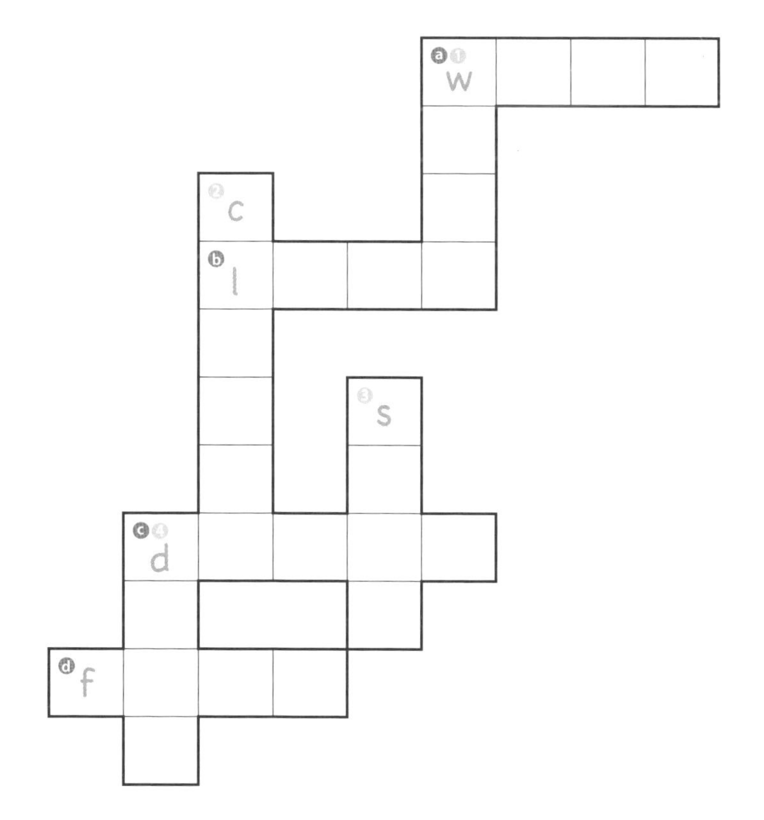

1 이야기의 순서에 맞게 그림을 배열해 보세요.

a

When Henry and Mudge woke up in the morning, they saw each other.

b

Sometimes Henry and Mudge had lonely dreams.

c

Henry knew that Mudge would always be with him.

d

When Henry went to school, Mudge waited for Henry.

 ···›  ···›  ···› 

2 다음 질문에 알맞은 답을 선택해 보세요.

1) Which meal(s) did Henry and Mudge have together?

a. They only ate breakfast at the same time.

b. They only ate supper at the same time.

c. They ate both breakfast and supper at the same time.

2) What did Mudge do when Henry was at school?

a. He lay around and waited for Henry.

b. He looked into Henry's fish tank.

c. He ate breakfast alone.

3) What did Mudge do after having lonely dreams?

a. He cried for a long time.

b. He stayed closer to Henry.

c. He tried to forget the dream.

3 책의 내용과 일치하면 T, 그렇지 않으면 F를 적어 보세요.

1) Sometimes Mudge went for a walk without Henry. ____

2) Henry worried that Mudge would leave. ____

3) Mudge and Henry were alone in their dreams. ____

PATTERN DRILL

유용한 영어 표현

Mudge **never** went for a walk alone.
머지는 절대로 혼자서 산책을 가지 않았다.

길을 잃어버렸던 머지가 무사히 집으로 돌아온 후에, 머지는 절대로 혼자 산책을 가지 않았지요. 이렇게 **"절대로(결코) ~하지 않는다"**라고 말할 때는 never 다음에 동작을 나타내는 표현을 써요.

never + [동작]: 절대로(결코) ~하지 않다

I **never** cry.
나는 절대로 울지 않는다.

They **never** lie.
그들은 절대로 거짓말하지 않는다.

We **never** swim in the sea.
우리는 절대로 바다에서 수영을 하지 않는다.

The girl **never** ate that cake.
그 여자아이는 절대로 저 케이크를 먹지 않았다.

우리말과 뜻이 통하도록 네모 안에 들어 있는 말을 바르게 배열해 보세요.

1. 나는 절대로 우유를 마시지 않는다.

milk 우유	drink 마시다	I 나	never 절대로 ~ 않다

I never ______________________________.

2. 그들은 내 농담에 절대로 웃지 않는다.

laugh at ~에 대해 웃다	they 그들	never 절대로 ~ 않다	my jokes 내 농담

______________________________.

3. 그는 결코 내 이메일에 답장하지 않았다.

never 절대로 ~ 않다	he 그	to my email 내 이메일에	responded 답장했다

______________________________.

4. 내 고양이들은 절대로 밤에 잠을 자지 않는다.

at night 밤에	my cats 내 고양이들	never 절대로 ~ 않다	sleep 잠을 자다

______________________________.

꼭 기억하세요

never는 동작을 나타내는 표현 앞에 써야 해요.

나는 절대로 탄산음료를 마시지 않는다.
I drink **never** soda. (X)
I **never** drink soda. (O)

그는 절대로 내 전화를 받지 않았다.
He answered **never** my call. (X)
He **never** answered my call. (O)

ANSWERS

Part 1

Vocabulary Quiz

1.

c	x	d	d	f	d	e	e	n	l	s
h	a	o	n	n	i	z	r	b	i	d
i	q	g	s	p	f	s	g	h	v	s
l	k	b	o	i	f	b	t	j	e	a
d	a	d	t	j	e	g	l	q	g	m
r	n	s	p	b	r	o	t	h	e	r
e	k	i	m	q	e	k	p	s	n	k
n	p	s	n	u	n	g	e	l	w	f
z	a	t	b	x	t	m	q	e	l	m
n	i	e	t	t	e	i	o	k	a	y
p	a	r	e	n	t	s	w	p	e	q

2.

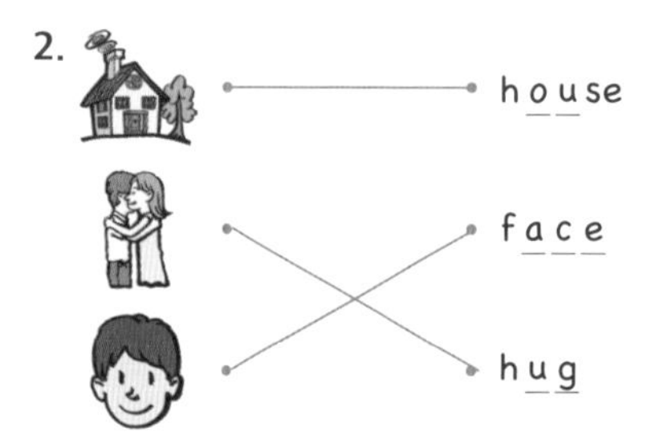

3. pet / street / home / want
look at / sorry / brother / friend

Wrap-up Quiz

1. a ··· b ··· d ··· c
2. 1) c 2) a 3) b
3. 1) T 2) F 3) F

Pattern Drill

1. I want to fly.
2. I want to buy a watermelon.
3. We want to send this letter.
4. He wanted to drink water.
5. She wanted to be their friend.

Part 2

Vocabulary Quiz

1.

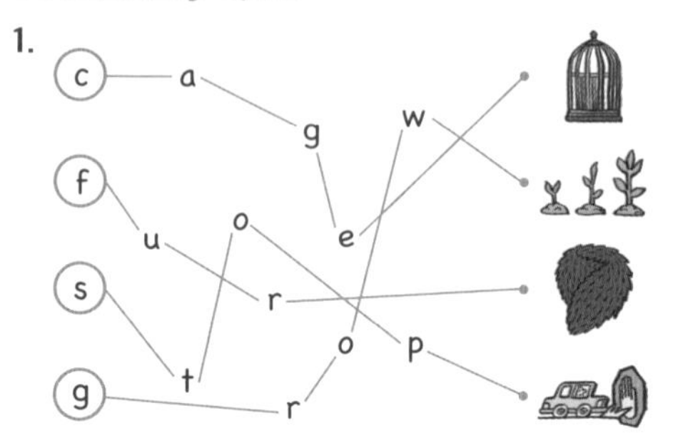

2. drool / pointed / collar / search for
because / lick / straight / out of

3.

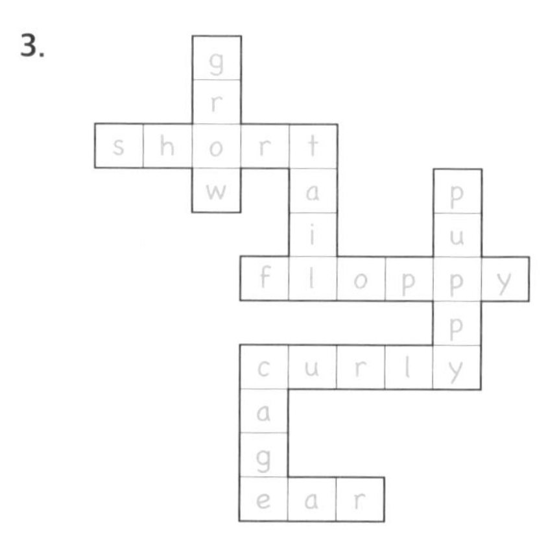

Wrap-up Quiz

1. d ··· b ··· a ··· c
2. 1) c 2) a 3) b
3. 1) F 2) F 3) T

Pattern Drill

1. I stopped painting.
2. The children stopped singing.
3. The students stopped giggling in class.
4. My sister stopped biting her nails.

Part 3

Vocabulary Quiz

1

c	x	d	r	e	a	m	e	n	t	s
c	a	x	n	n	d	z	r	d	c	s
l	q	g	s	p	i	s	g	x	n	c
i	k	d	g	m	o	u	t	h	l	h
m	a	s	t	j	f	g	l	m	i	o
b	g	t	o	r	n	a	d	o	i	o
e	i	r	u	b	r	t	t	r	e	l
n	k	d	m	o	r	h	e	f	h	f
z	p	t	n	u	e	a	q	e	e	m
p	a	e	b	x	n	i	n	m	a	n
n	f	i	n	g	e	r	s	p	d	q

2.

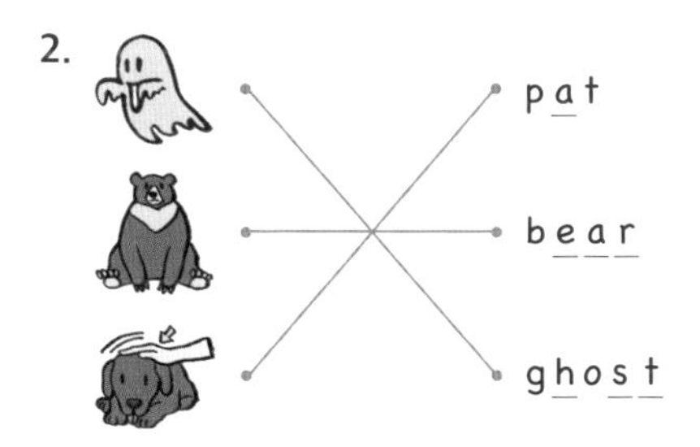

3. walk / alone / rock / big
   mouth / bite / bed / stuffed

Wrap-up Quiz

1. a ···› c ···› d ···› b
2. 1) b 2) a 3) c
3. 1) F 2) T 3) T

Pattern Drill

1. She used to have long hair.
2. They used to sleep late.
3. He used to fish at the lake.
4. I used to hate broccoli.

Part 4

Vocabulary Quiz

1.

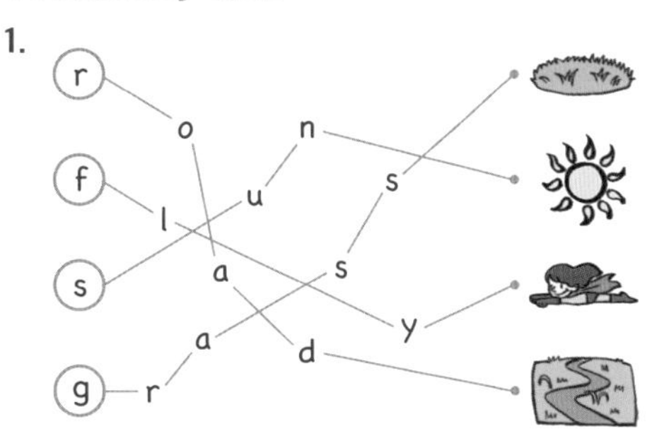

2. take a walk / sniff / porch / stream
   wait / kick up dust / shine / pine tree

3.

Wrap-up Quiz

1. d ···› c ···› b ···› a
2. 1) b 2) a 3) b
3. 1) F 2) T 3) T

Pattern Drill

1. I cannot run fast.
2. We can't help you.
3. They could not wait for her.
4. I couldn't sleep without my stuffed bear.

ANSWERS

Part 5

Vocabulary Quiz

1.

2.

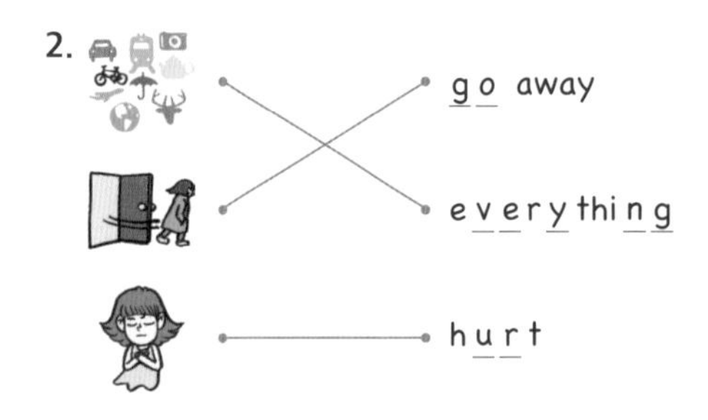

3. with / safe / sleep / finish
   leave / walk / empty / heart

Wrap-up Quiz

1. b ··· a ··· d ··· c
2. 1) a   2) b   3) a
3. 1) T   2) F   3) F

Pattern Drill

1. I play the piano for an hour.
2. We talked on the phone for 3 hours.
3. They stayed in Hawaii for 2 months.
4. The store was closed for a week.

Part 6

Vocabulary Quiz

1.

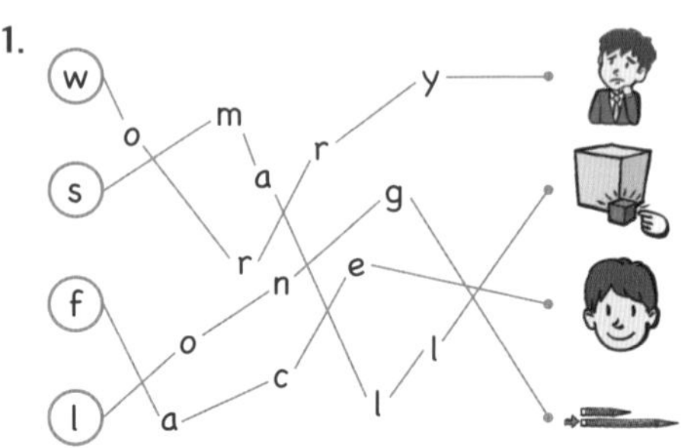

2. wake up / breakfast / face / pine tree
   school / dream / silent / supper

3.

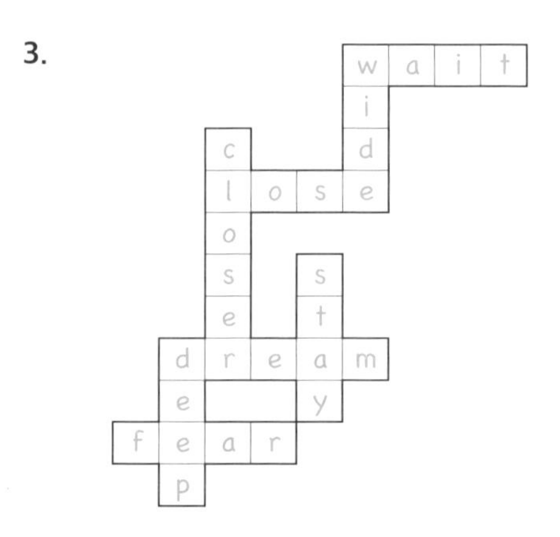

Wrap-up Quiz

1. a ··· d ··· b ··· c
2. 1) c   2) a   3) b
3. 1) F   2) F   3) T

Pattern Drill

1. I never drink milk.
2. They never laugh at my jokes.
3. He never responded to my email.
4. My cats never sleep at night.

HENRY AND MUDGE

01 **HENRY AND MUDGE** The First Book

02 **HENRY AND MUDGE** in Puddle Trouble

03 **HENRY AND MUDGE** in the Green Time

04 **HENRY AND MUDGE** under the Yellow Moon

05 **HENRY AND MUDGE** in the Sparkle Days

06 **HENRY AND MUDGE** and the Forever Sea

07 **HENRY AND MUDGE** Get the Cold Shivers

08 **HENRY AND MUDGE** and the Happy Cat

09 **HENRY AND MUDGE** and the Bedtime Thumps

10 **HENRY AND MUDGE** Take the Big Test

11 **HENRY AND MUDGE** and the Long Weekend

12 **HENRY AND MUDGE** and the Wild Wind

학부모와 학습자들이 강력 추천하는 필독 원서,
『헨리와 머지 (Henry and Mudge)』 시리즈!

훨씬 더 넓어진 판형과
가독성을 극대화한 영문 서체로
새롭게 출간되었습니다

『헨리와 머지 (Henry and Mudge)』 시리즈는 소년 헨리와 커다란 개 머지가
소소한 일상 속에서 우정을 쌓아 가는 모습을 따뜻한 시선으로 그려낸 책입니다.
48페이지 이하의 부담 없는 분량에 귀엽고 포근한 느낌의 그림이 더해졌고,
짧고 반복되는 문장으로 이루어져 완독 경험이 없는 초급 영어 학습자도 즐겁게 읽을 수 있습니다.
롱테일북스의 『헨리와 머지 (Henry and Mudge)』 시리즈로 원서 읽는 습관을 시작해 보세요!

헨리와 머지
첫 번째 이야기

초판 발행 2021년 1월 15일

글 신시아 라일런트
그림 수시 스티븐슨
번역및콘텐츠감수 정소이 박새미 유아름
콘텐츠제작참여 최선민 선생님(충남 보령 성주초) 김수정 선생님(경기 부천 부인초)
권재범 선생님(충남 계룡 금암초) 박은정 선생님
책임편집 정소이 박새미 김보경
디자인 모희정 김진영
저작권 김보경
마케팅 김보미 정경훈
펴낸이 이수영

펴낸곳 (주)롱테일북스
출판등록 제2015-000191호
주소 04043 서울특별시 마포구 양화로 12길 16-9(서교동) 북앤빌딩 3층
전자메일 helper@longtailbooks.co.kr

ISBN 979-11-86701-68-3 14740

롱테일북스는 (주)북하우스 퍼블리셔스의 계열사입니다.

이 도서의 국립중앙도서관 출판예정도서목록(CIP)은 서지정보유통지원시스템 홈페이지(http://seoji.nl.go.kr)와 국가자료종합목록 구축시스템(http://kolis-net.nl.go.kr)에서 이용하실 수 있습니다. (CIP 제어번호 : CIP2020053032)